ÀITE DÌREACH CEART

Naomi Jones   James Jones

ACAIR

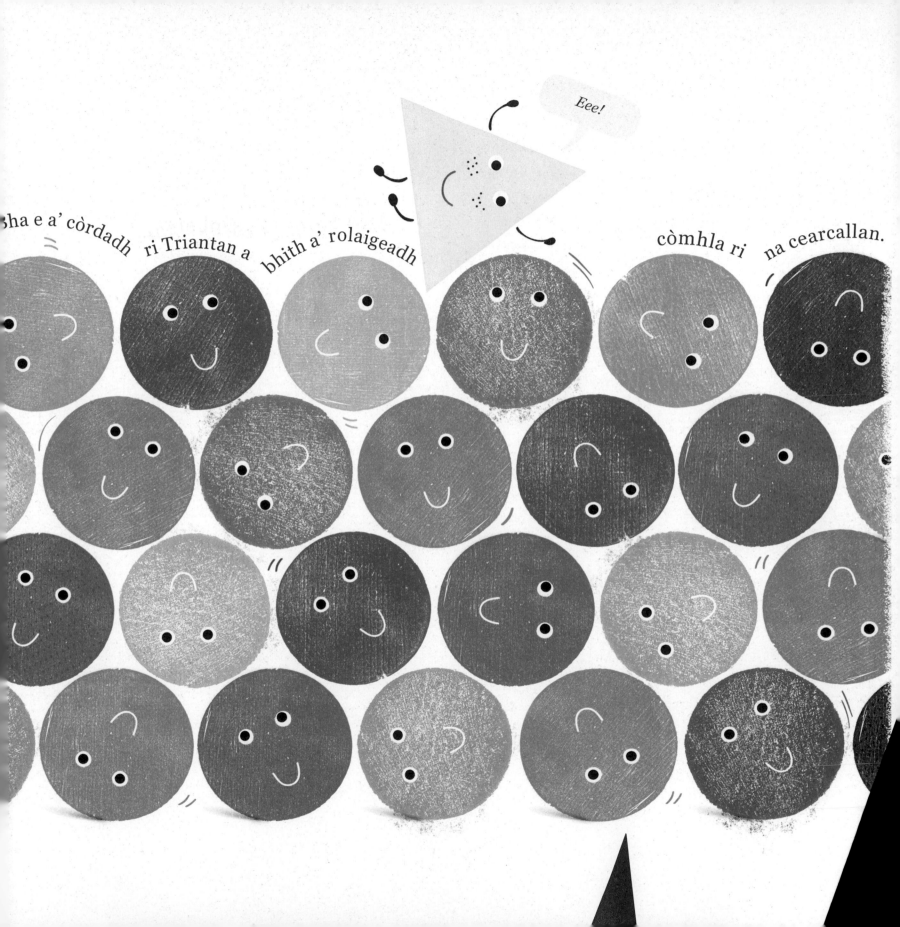

Ach uaireannan bha i
a' faireachdainn beagan
diofraichte.

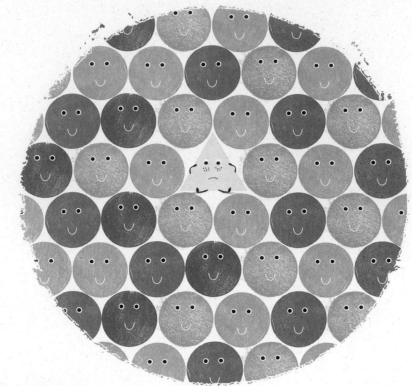

Cha robh dragh aig na
cearcallan nuair a bha
Triantan a' bualadh
annta gu tubaisteach,
ach bha aig Triantan.

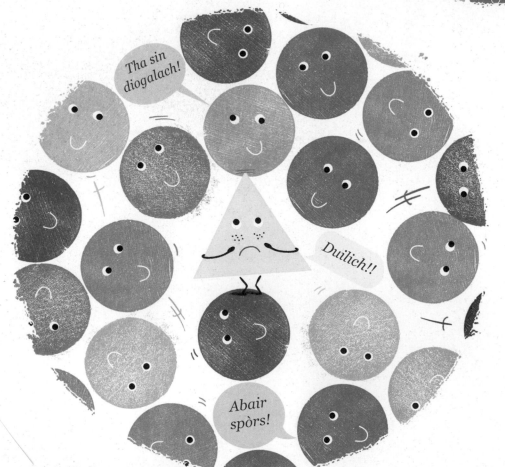

Fuirich!

Bha i
den bheachd
gun robh i
a' dol anns
an rathad
air na cearcallan.

Obh obh . . .

Le sin, smaoinich i
gun lorgadh i àite a
bha dìreach ceart dhithse.

Timcheall air an oisean, fhuair Triantan lorg air ceàrnagan.

'Trobhad a chluich còmhla rinn!' thuirt na ceàrnagan.

Agus chluich Triantan còmhla riutha!

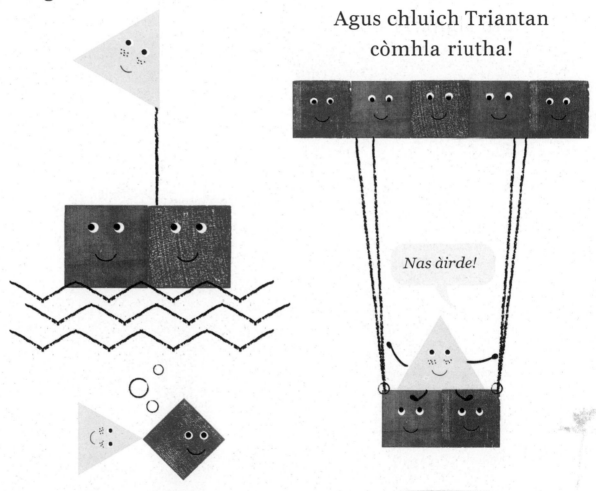

Chluich iad tòrr gheamannan agus bha e mìorbhaileach.

'Togaidh sinn tùr!' thuirt tè
de na ceàrnagan.

Le sin,
leum Triantan
suas airson
cuideachadh,

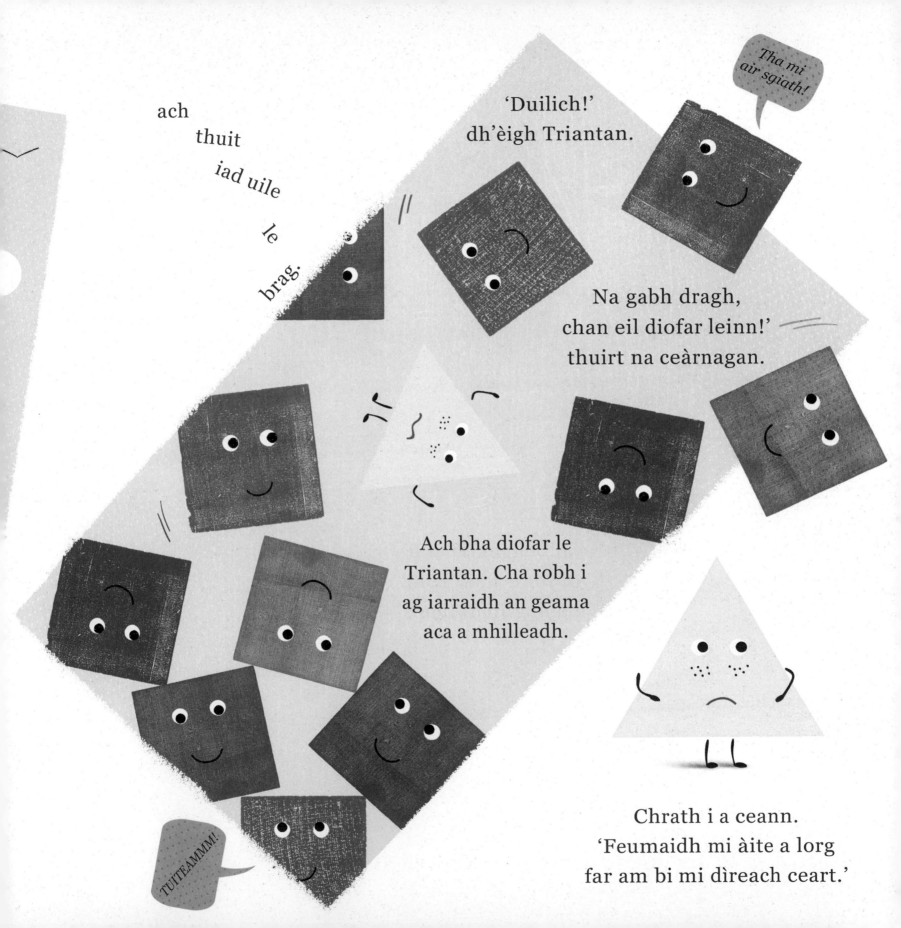

Timcheall an ath oisean,
lorg Triantan sia-cheàrnaich.

'A bheil thu ag iarraidh cluich?'
dh'fhaighnich iad.
Ghnog Triantan a ceann.

Caraid!

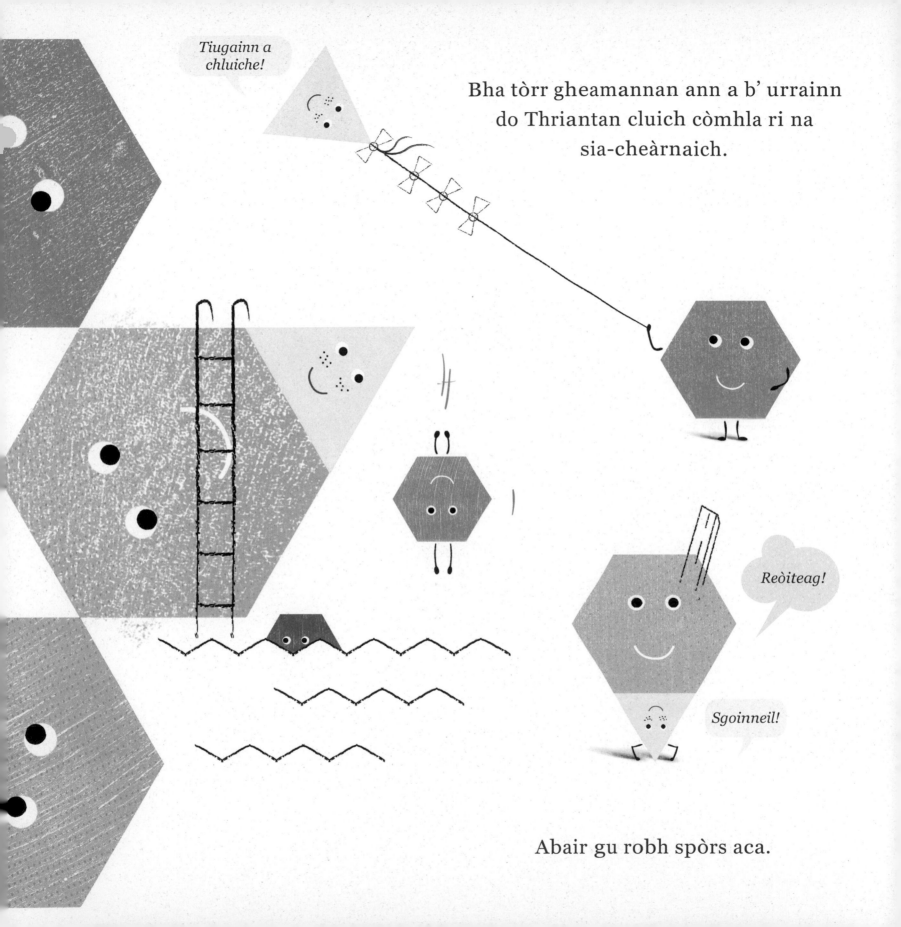

'Nì sinn pàtran!'
thuirt na
sia-ceàrnaich.

Chan ann
a-rithist!

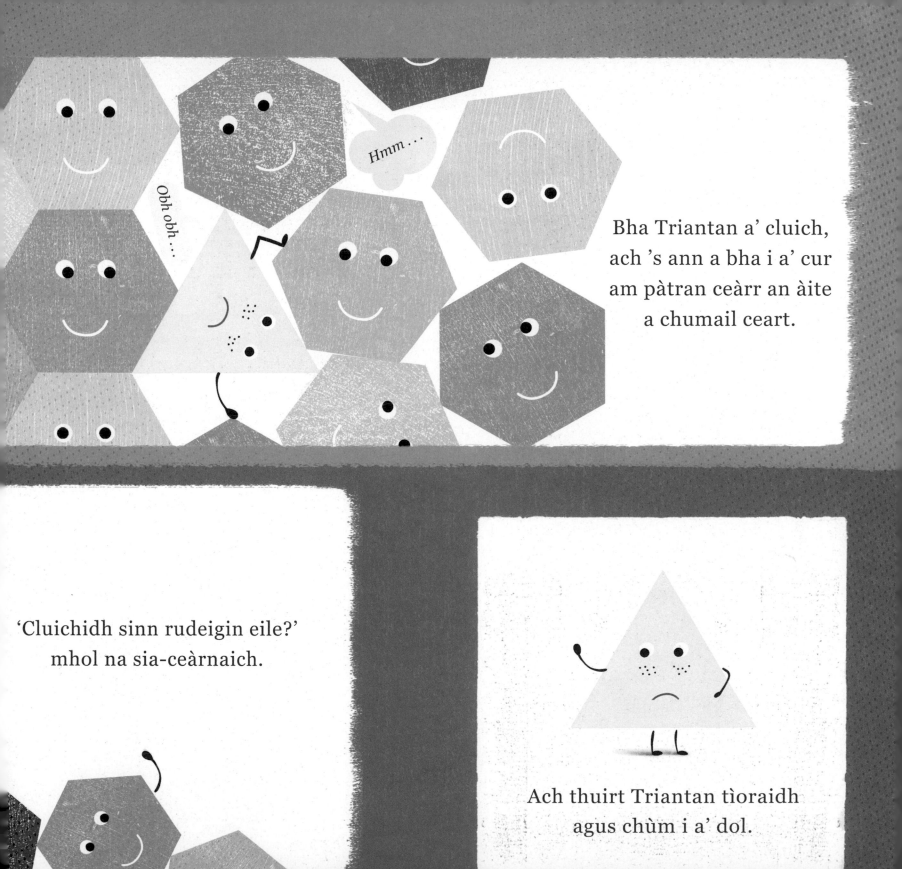

Bha Triantan a' cluich, ach 's ann a bha i a' cur am pàtran ceàrr an àite a chumail ceart.

'Cluichidh sinn rudeigin eile?' mhol na sia-ceàrnaich.

Ach thuirt Triantan tìoraidh agus chùm i a' dol.

Bha Triantan a' sireadh
thall 's a bhos . . .

ach cha d' fhuair i àite a bha
dìreach ceart dhithse.

Bha i a' faireachdainn
rudeigin sàraichte.

''S dòcha nach eil
triantain eile ann.'

''S dòcha nach eil
ann ach mì-fhìn?'

An uairsin sheall i suas agus chunnaic i
cruth air an robh i eòlach anns na speuran.

'Chan e triantan a th' annad, an e?' dh'fhaighnich Triantan.

'Chan e buileach!' thuirt an rionnag.

Rinn Triantan osna.

'Na gabh dragh,
tha cruthan ann a tha
fìor choltach riutsa
agus chan eil iad
ro fhad às . . .'

Mu
dheireadh
thall, lorg i iad.
B' iad triantain a bha
coltach rithe anns a h-uile dòigh.
Rinn i às na deann gu bhith còmhla riutha.

Woohoo!

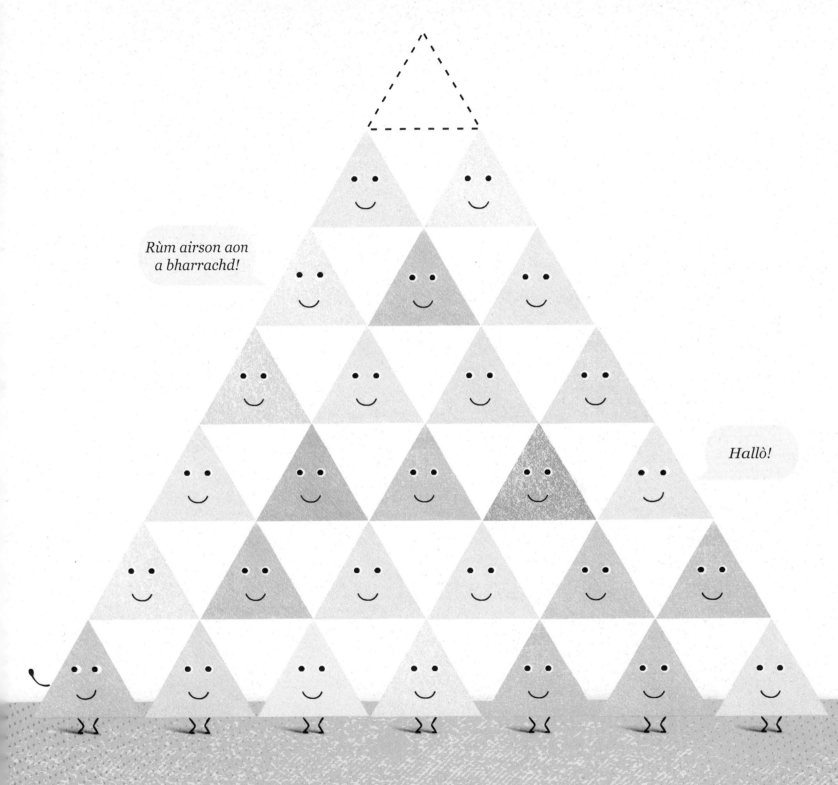

Ach cha robh fios aig na triantain eile ciamar a rolaigeadh iad.

Tha mi steigte?!

Fhad 's a bha Triantan a' sealltainn dhaibh, smaoinich i mun spòrs a bha aice còmhla ri na cruthan eile agus thàinig smuain thuice.

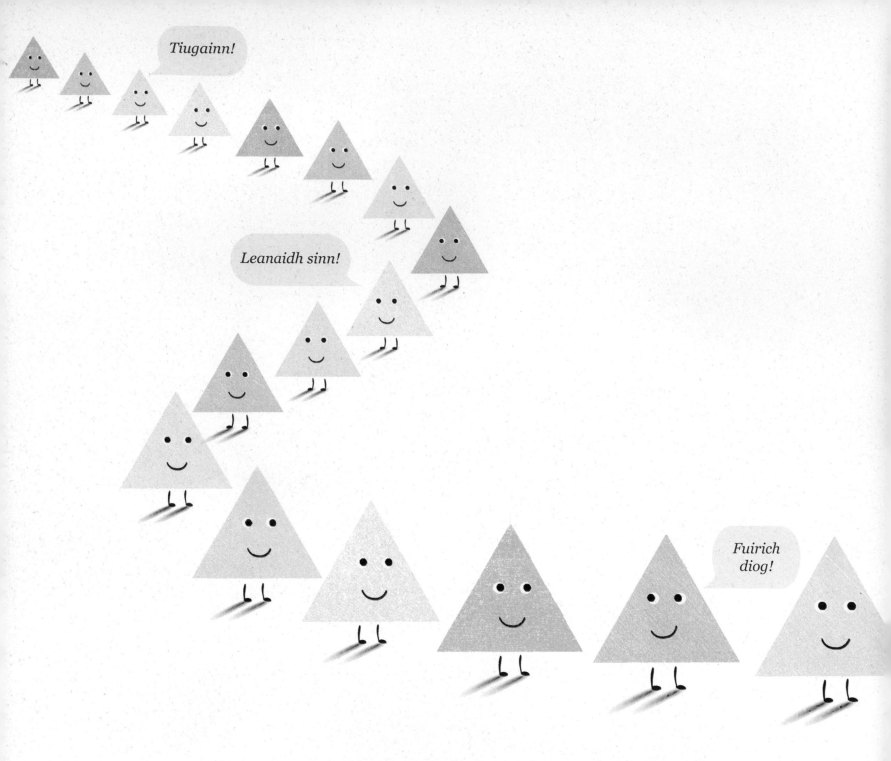

'Lorg thu
an fheadhainn
eile!'
dh'èigh
rionnag.

'Lorg,' fhreagair Triantan,
'agus abair gun robh
spòrs againn.
Ach bha rudeigin a dhìth . . .

a h-uile duine eile!'

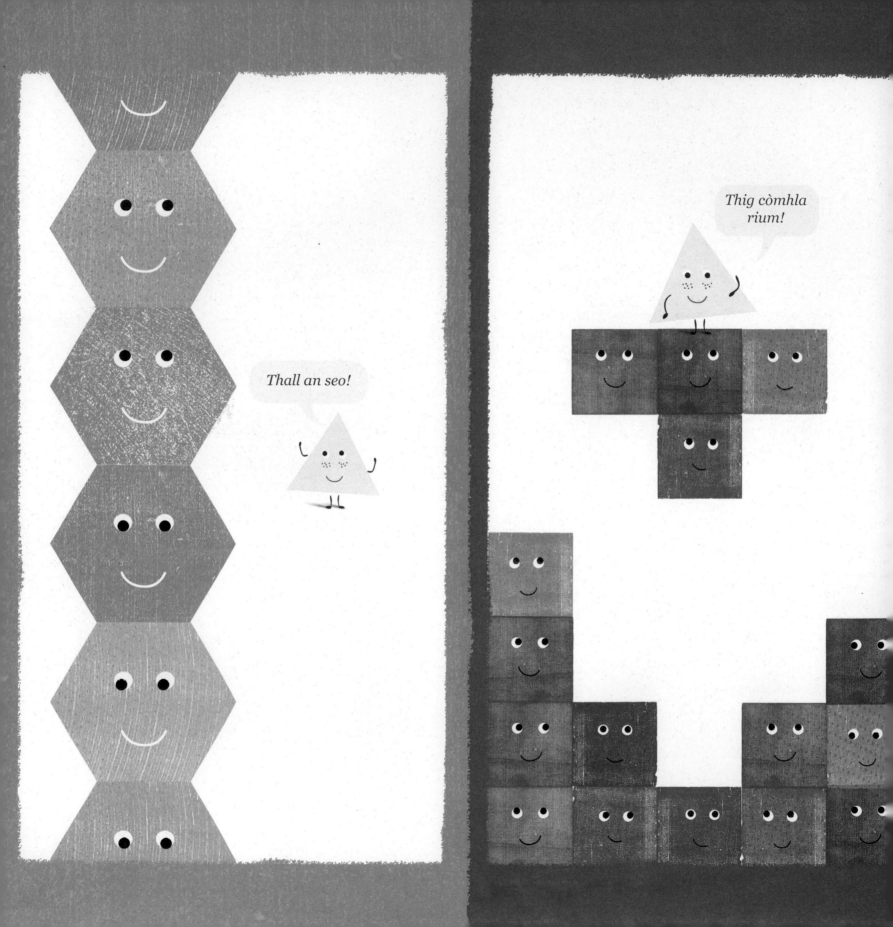

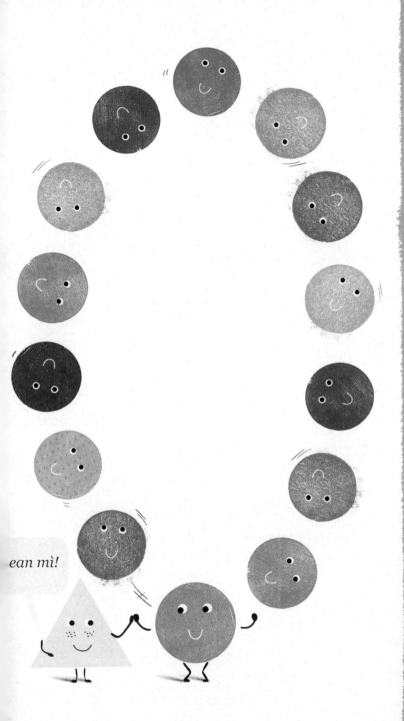

ean mì!

'Am bu toigh leibh uile
cluiche còmhla rium?'

Bha na cruthan air bhioran.

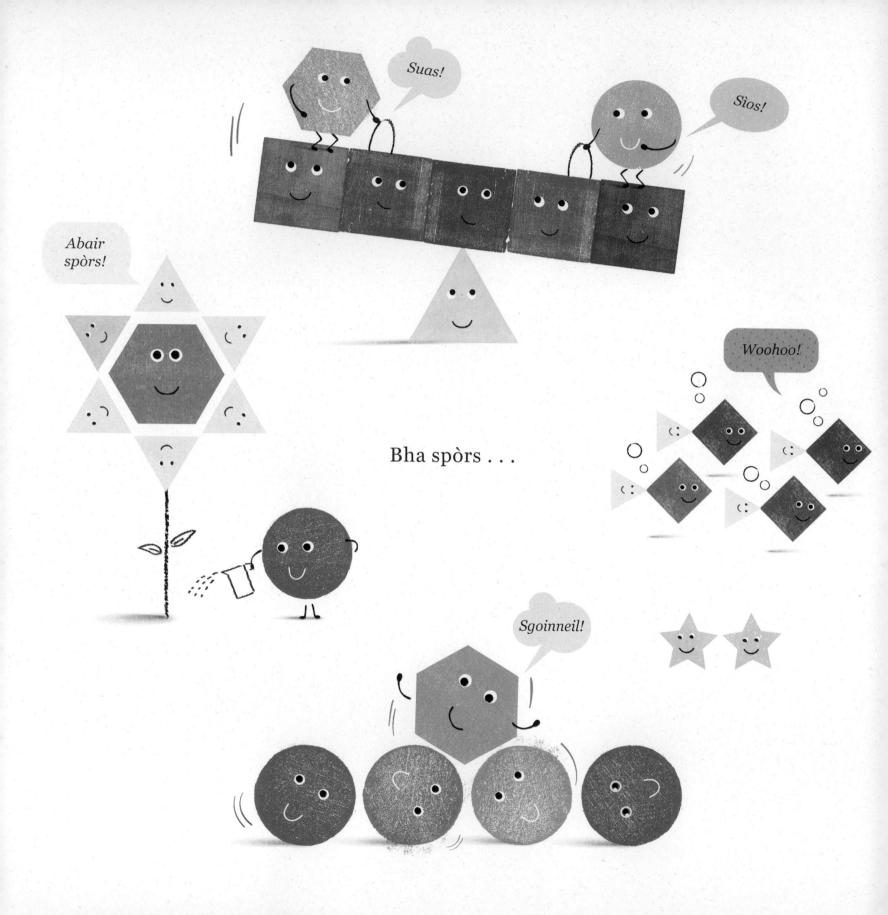

Bha spòrs . . .

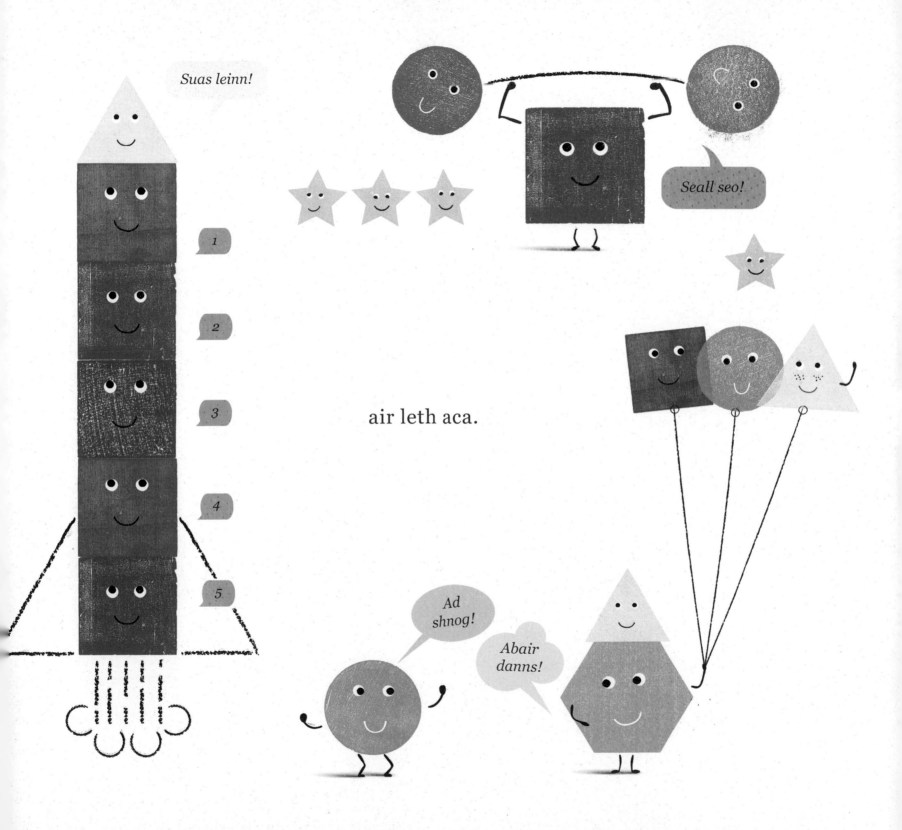

Agus ged
nach robh

Triantan
coltach

ris a
h-uile duine
eile,

fhuair i

àite dìreach ceart.

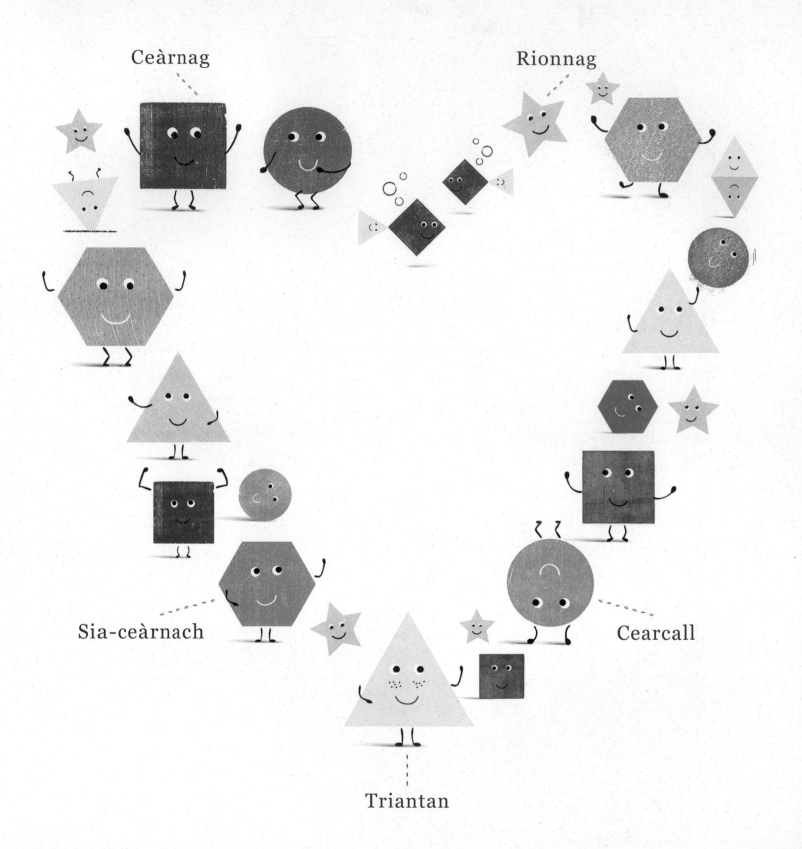

Ceàrnag

Rionnag

Sia-ceàrnach

Cearcall

Triantan

Do ar balaich, William agus Sam.

OXFORD UNIVERSITY PRESS

Great Clarendon Street, Oxford OX2 6DP
'S e roinn de dh'Oilthigh Oxford a th' ann an Clò-bhualadair Oilthigh Oxford.
Tha e a' brosnachadh rùn an Oilthighe a thaobh sàr-mhaitheas ann an rannsachadh,
sgoilearachd, agus foghlam le bhith a' foillseachadh air feadh an t-saoghail.
'S e comharra malairt clàraichte a th' ann an Oxford de Clò-bhualadair Oilthigh Oxford
anns an Rìoghachd Aonaichte agus ann an cuid de dhùthchannan eile.

A' chiad fhoillseachadh sa Ghàidhlig 2022 le Acair, An Tosgan,
Rathad Shìophoirt, Steòrnabhagh, Eilean Leòdhais HS1 2SD

info@acairbooks.com   www.acairbooks.com

© an teacsa Ghàidhlig Acair 2022.
An dealbhachadh sa Ghàidhlig Mairead Anna NicLeòid.

Tha Acair a' faighinn taic bho Bhòrd na Gàidhlig.

Gheibhear clàr catalog CIP airson an leabhair seo ann an Leabharlann Bhreatainn.

Air a chlò-bhualadh ann an Sìona

LAGE/ISBN 978-1-78907-113-9

Tha am pàipear air a chleachdadh airson an leabhair seo dèanta à stuth
nàdarrach à fiodh a chaidh fhàs ann an coilltean seasmhach, agus tha e
comasach ath-chuairteachadh. Tha am pròiseas saothrachaidh
a' co-chumail ri riaghailtean àrainneachd an tùs-dhùthaich.

Tha an leabhar seo le

....

'S e .... an cruth as fheàrr leam.